MARGERIN
LULU S'MAQUE

PREMIÈRE ÉDITION : MAI 1987 - LES HUMANOÏDES ASSOCIÉS
© HUMANOS SA - GENÈVE
ACHEVÉ D'IMPRIMER EN SEPTEMBRE 1989
SUR LES PRESSES DE L'IMPRIMERIE JEAN LAMOUR A NANCY
ISBN 2-7316-0439-5
41-17-0229-03

FRANK MARGERIN

LULU S'MAQUE

collection HUMOUR

LES HUMANOÏDES ASSOCIÉS

HÉ, GILLOU! REGARDE, J'AI TROUVÉ UNE LETTRE DANS LA BOÎTE ... ON DIRAIT L'ÉCRITURE DE LUCIEN!

HEIN?! OUVRE VITE!!

OUAIS, C'EST BIEN LUI ... ALORS, QU'EST-CE QU'IL RACONTE?...

ÇA FAISAIT UN MOMENT QU'ON N'AVAIT PAS EU DE SES NOUVELLES ... IL VA BIEN?

HO, IL DIT QU'IL A FINI ... IL RENTRE LA SEMAINE PROCHAINE ...

DIS, TU TE RENDS COMPTE. ÇA FAIT DÉJÀ UN AN QU'IL EST PARTI ... C'EST DINGUE!

FINALEMENT, IL L'AURA FAIT JUSQU'AU BOUT, SON SERVICE ...

LA SEMAINE SUIVANTE ...

IL DEVRAIT ÊTRE DANS CE GROUPE-LÀ!

HÉ BEN ... IL A PAS DÛ SE MARRER TOUS LES JOURS ...

ALORS ROBERT?... QU'EST-CE QUE TU VAS FAIRE DANS L'CIVIL?

J'VAIS DÉJÀ COMMENCER PAR FAIRE UNE FIESTA D'ENFER!!

LÀ-BAS!... AVEC LE BONNET ... LUCIEN!

RICKY ... GILLOU!!

HA! HA! SACRÉ LUCIEN!!

BON SANG, ÇA FAIT PLAISIR DE VOUS VOIR!

ALORS, TE V'LÀ UN HOMME MAINTENANT!

HA! HA! UN VRAI RAMBO, MA PAROLE!

1

C'EST ÇA VOTRE JARDIN ?! C'EST UN PEU CRADE, ON DIRAIT PLUTÔT UNE CASSE...

CES ÉPAVES, C'EST MON STOCK DE PIÈCES DÉTACHÉES ...CAR JE RESTAURE AUSSI DES VIEILLES BÉCANES!

ON DIRAIT LE PADDOCK DU TOURIST TROPHY...

OUAIS, N'EMPÊCHE QUE C'EST DOMMAGE D'AVOIR UN GRAND JARDIN ET DE PAS EN PROFITER...

COMMENT ÇA ?! MAIS ON EN PROFITE, QUAND IL FAIT BEAU ON S'ASSOIT SUR LES PNEUS ET ON SE FAIT GRILLER DES MERGUEZ SUR LE BARBECUE

HA?

OUAIS, C'EST PEINARD !!

ET VOILÀ NOTRE DOUX FOYER... ÇA, C'EST LE SALON-CUISINE-SALLE À MANGER ... FAIS PAS ATTENTION AU DÉSORDRE!

WAOUH! C'EST DRÔLE-MENT COQUET CHEZ VOUS!

VOUS ÊTES BIEN LÀ!...

OUAIS, ET PUIS C'EST CALME!

ÇA! À PART NOUS, ON N'ENTEND VRAIMENT RIEN DANS CE QUAR-TIER!

ALORS RACONTE, TU DEVAIS PAS TE FAIRE RÉFORMER LUCIEN?

TU PARLES, TOUT CE QUE J'AI RÉUSSI À FAIRE, C'EST ME FAIRE SUCRER MES PERM'...

NOVE...

C'EST POUR ÇA QUE VOUS M'AVEZ PAS VU DEPUIS UN AN...

MAIS TOI RICKY, QU'EST-CE QUE TU FAIS EN CE MOMENT, TU BOSSES?

BEN OUI, J'T'AI PAS DIT?

JE SUIS SERVEUR DANS UN RESTO TRÈS CHIC ...TU M'VERRAIS AVEC LA VESTE BLANCHE ET LE NOEUD PAP'!..

AU FAIT, TU RESTES DÎNER AVEC NOUS?..

OUAIS, ON VA TE MIJOTER UN BON P'TIT PLAT, TU VAS TE RÉ-GALER!

ALORS, J'DIS PAS NON!

ÇA ME CHANGERA DE LA CAN-TINE!

3

PLUS TARD...

BEN, FINALEMENT ON MANGEAIT PAS SI MAL À L'ARMÉE...

J'AURAIS PEUT-ÊTRE PAS DÛ METTRE DE L'HARISSA DANS LA BÉCHAMEL... OU ALORS C'EST LE SAINDOUX?

REMARQUE, ÇA SERAIT PEUT-ÊTRE BON SI ÇA N'AVAIT PAS BRÛLÉ?...

BON, À PART ÇA, QU'EST-CE QUE TU VAS FAIRE MAINTENANT LUCIEN?

JE VAIS SANS DOUTE ALLER POINTER À L'ANPE ET PUIS VA FALLOIR QUE JE ME TROUVE UNE PIAULE PAS TROP CHÈRE...

TU SAIS, AVEC GILLOU ON S'EST DIT QUE SI TU VOULAIS, TU POURRAIS T'INSTALLER ICI, Y A DE LA PLACE LÀ-HAUT!

C'EST VRAI? VOUS ÊTES VRAIMENT SYMPAS!!

DEMAIN, J'IRAI CHERCHER MES AFFAIRES CHEZ MES VIEUX!

TU VAS ÊTRE À L'AISE... ON TE LAISSE TOUT LE GRENIER!

ALORS, TU NOUS A TOUJOURS PAS RACONTÉ TON SERVICE...

HO, TU SAIS C'EST PAS TRÈS DRÔLE, ÇA VA VOUS FAIRE CHIER...

MAIS NON, PAS DU TOUT! TU AS BIEN QUELQUES ANECDOTES...

PEU APRÈS...

...ET AUSSI LA FOIS OÙ L'ADJUDANT AVAIT DÉCIDÉ DE PASSER LA TROUPE EN REVUE, QUELLE RIGOLADE!!

HA! HA!

IL S'APPROCHE DE MOI ET DEVINEZ CE QU'IL ME... HO?!

MAIS ILS DORMENT?!

ZZZZZZZ

WOUAAAAH... BON, EH BIEN ON VA P'TÊT' PAS TARDER À ALLER S'COUCHER...

M'OUAIS... IL COMMENCE À SE FAIRE TARD...

BON, JE VAIS ALLER CHERCHER MA VALISE DANS LA DAUPHINE...

TU POURRAS M'EXPLIQUER OÙ J'PEUX DORMIR, GILLOU?

OUAIS, MAIS AVANT T'OUBLIERAS PAS DE FAIRE LA VAISSELLE... C'EST TON TOUR!

HÉ OUI, LUCIEN... AVANT-HIER C'ÉTAIT LE TOUR DE GILLOU ET HIER C'ÉTAIT LE MIEN...

4

LE LENDEMAIN MATIN À 7 H...

ALLEZ, DEBOUT FAINÉANT !! LE CAFÉ EST SERVI !

BEN ALORS, QU'EST-CE QU'ON T'A APPRIS À L'ARMÉE ?

?

BON SANG, J'AI LE DOS EN COMPOTE ! J'AI JAMAIS VU UN CANAPÉ AUSSI IN-CONFORTABLE !

TU L'AS DIT, BOUFFI ! C'EST UNE BANQUETTE DE DEUCHE !

ÉVIDEMMENT, AVEC LA BARRE AU MILIEU, C'EST PAS VRAIMENT L'IDÉAL !...

DITES, VOUS VOUS LEVEZ TOUJOURS AUSSI TÔT ?

QU'EST-CE QUE TU CROIS ?... ON EST DES TRA-VAILLEURS, NOUS !

À PROPOS, SI VOUS ENTENDEZ PARLER D'UN BOULOT POUR MOI ?!...

TU SAIS, C'EST PAS ÉVIDENT...

T'AIMERAIS LE GENRE COOL ET BIEN PAYÉ, C'EST ÇA ?

EL BIEN EN ATTENDANT, SI ON VEUT GARDER LE NÔTRE FAUDRAIT PAS TROP TARDER ...

T'AS RAISON ! TU ME DÉPOSES AU PASSAGE ?

PEU APRÈS ...

ALORS À CE SOIR, ET N'OUBLIE PAS DE FAIRE LES COURSES DU DÎNER !

SI TU T'ENNUIES, N'HÉSITE PAS À FAIRE UN PEU DE MÉNAGE ET À AÉRER ...

C'EST ÇA, ET POUR VOS CHAUSSETTES, JE LES LAVE PLUTÔT À L'EAU TIÈDE ?

JE ME DEMANDE S'ILS NE M'ONT PAS IN-VITÉ POUR FAIRE LE LARBIN !

BON, T'VAIS ALLER RENDRE UNE P'TITE VISITE À MES VIEUX !..

5

PEU APRÈS...
ALORS QU'EST-CE QUE TU RACONTES? TU AS BIEN DES ANECDOTES?..

TENDS-MOI TON ASSIETTE!

BOF, RIEN DE TRÈS FOLICHON TU SAIS...

HÉ! IL A UNE PLUS GROS SE PART DE TARTE QUE MOI!

TU AVAIS QUOI COMME FLINGUE SUR TOI?

C'EST PAS GRAVE, RACONTE QUAND MÊME, ÇA M'INTÉRESSE!

HA, OUI, J'ME SOUVIENS QU'UNE FOIS, AVEC MON COPAIN ROBERT...

DIS, TU AS TIRÉ AVEC UNE MITRAILLEUSE?

ON ÉTAIT EN TRAIN DE BALAYER LE MESS, IL Y AVAIT TOUS LES OFFICIERS QUI ÉTAIENT LÀ, ET SOUDAIN ON ENTEND UN BRUIT PAS POSSIBLE...

C'ÉTAIT LE JUTEUX QUI... HO?!

METS LE SON PLUS FORT, SIMONE, C'EST LA MÉTÉO!

HOLALA, EH BIEN, ÇA N'A PAS L'AIR DE S'ARRANGER POUR DEMAIN ON DIRAIT!

C'EST CHIANT, IL VA ENCORE PLEUVOIR PENDANT LE MATCH DE FOOT!

AU FAIT, LUCIEN, EXCUSE-MOI, TU ME DISAIS QUELQUE CHOSE?

NON, NON! D'AILLEURS IL EST TARD IL VA BIENTÔT FALLOIR QUE JE PARTE...

JE ME SUIS INSTALLÉ CHEZ RICKY ET GILLOU À MONTROUGE

HEIN, TU PARS DÉJÀ? TU VEUX PAS RESTER AU MOINS POUR DÎNER?

C'EST BIEN, CHEZ EUX?

OUI, ILS ME LAISSENT LE GRENIER À AMÉNAGER MAIS IL Y A DU BOULOT!

D'AILLEURS SI VOUS POUVIEZ ME DONNER UN MATELAS ÇA M'ARRANGERAIT BIEN...

MON PAUVRE, TU N'AS MÊME PAS DE LIT?

HÉ, T'AS TIRÉ AU BAZOOKA?

JUSTE UN MATELAS?.. ALLONS, IL TE FAUT AUSSI UN BON SOMMIER!

J'AI UNE IDÉE, ON VA TE DONNER LES MEUBLES DE NOTRE CHAMBRE, NOUS VOULIONS JUSTEMENT LES CHANGER...

HEIN?!

REGARDE COMME TU VAS ÊTRE BIEN AVEC UN GRAND LIT ET UNE BELLE ARMOIRE COMME ÇA!

HO!

ET AU MOINS SI TU REÇOIS UNE FIANCÉE, TU N'AURAS PAS HONTE!

7

ALLEZ, FAITES PAS LA TÊTE ! MES PARENTS M'ONT FILÉ UN PEU DE FRIC, JE VOUS PAYE LE RESTO !

BEN ÇA C'EST COOL !

NON, LAISSE TOMBER ON VA S'DÉBROUILLER ...

SI, SI, J'INSISTE ! J'AI BIEN RETAPÉ LE GRENIER ALORS ÇA SE FÊTE ! CE SOIR C'EST LA TOURNÉE DES GRANDS DUCS !

PEU APRÈS...

LÀ, C'EST PEUT-ÊTRE UN PEU CHER ?

MAIS NON C'EST PAS UN PROBLÈME !!

MAIS SI T'ES PAS SAPÉ COMME UN PINGOUIN, ILS TE LAISSENT PAS ENTRER !

C'EST PAS MAL, IL Y A UN MENU GASTRONOMIQUE À 195F...

OUAIS ! AVEC DU FOIE GRAS ET DU CONFIT D'OIE... HUUMM...

BEUH C'EST LOURD TOUT ÇA ! ET PUIS L'AMBIANCE À L'INTÉRIEUR, JE VOUS RACONTE PAS !

LA VIEILLE AUBERGE

T'AS VU LE MENU DE CELUI-LÀ, LUCIEN ? DE LA VRAIE LITTÉRATURE...

C'EST JOLI !

PFF, LA NOUVELLE CUISINE C'EST QUE D'LA FRIME ! T'AS RIEN À BECQUETER ET ILS TE COLLENT DE LA FEUILLE DE MENTHE PARTOUT !

LE PIGEONNIER

ILS NOUS PRENNENT POUR DES PIGEONS LÀ-DEDANS

ET SI ON SE TAPAIT UNE PETITE PIZZA ? C'EST BON LES PIZZAS !

HO, Y EN A MARRE DES PIZZAS !

CHEZ ALI ROI DU COUSCOUS

J'AI PAS ENVIE DE BOUFFER UN COUSCOUS ET PUIS CHINOIS ÇA NE ME DIT RIEN...

CHEZ GINETTE

ET SI ON ALLAIT DANS CE "ROUTIERS" LUCIEN ?

C'EST SYMPA MAIS Y A TROP D'MONDE, ON S'ENTEND PLUS MANGER !

VROOM

BON, ÇA VA, ON A COMPRIS ! TU FERAIS MIEUX D'AVOUER TOUT DE SUITE QUE TU VEUX PAS ALLER AU RESTO !!

MAIS PAS DU TOUT !! TIENS, LE PROCHAIN QU'ON VOIT ON Y ENTRE, D'ACCORD ?

ET ENFIN...

BEN QUOI, FAITES PAS LA GUEULE, LES FRITES SONT EXCELLENTES !

FISH BURGER   RAT'S BURGER

⑩

LE LENDEMAIN MATIN...

PUTAIN, C'EST CLEAN CHEZ LUI!

ALLEZ, RÉVEILLE-TOI CAMARADE TRAVAILLEUR!!

MHHH?.. OÙ SUIS-JE?

N'OUBLIE PAS QUE TU AS RENDEZ-VOUS AVEC TON FUTUR PATRON!

ET JE TE SIGNALE QUE SI TU COMPTES Y ALLER AVEC UNE TÊTE PAREILLE, C'EST CARRÉMENT PAS LA PEINE...

J'AI UNE DE CES MIGRAINES...

BON, ÇA VA... JE ME LÈVE, CRIEZ PAS!

PENDANT QU'ON FAIT CHAUFFER LE CAFÉ, PRENDS-TOI UN BAIN ET FAIS-TOI BEAU...

ET DONNE-TOI UN COUP DE PEIGNE!

TIENS, QUAND TU SERAS SORTI TU ENFILERAS CE COSTAR!

D'OÙ ÇA VIENT ÇA?

ON ME L'AVAIT ACHETÉ POUR UN ENTERREMENT!

HA! HA! HA!

EXCUSE-MOI, C'EST NERVEUX! MAIS IL TE VA PAS MAL MON COSTUME... HA! HA!

QUELLE CLASSE!

HA! SI VOUS VOUS FOUTEZ DE MOI, JE LAISSE TOUT TOMBER!

MAIS NON, T'ES FOU! UN BOULOT COMME ÇA, ON N'EN TROUVE PAS TOUS LES JOURS, TU SAIS!

PFFFF, TU PARLES!

J'POURRAI JAMAIS M'HABILLER COMME ÇA TOUS LES JOURS! C'EST PAS POSSIBLE, JE VEUX PAS!

MAIS QU'EST-CE QUE TU CROIS?! NOUS AUSSI ON SE DÉGUISE POUR BOSSER!

LE PLUS IMPORTANT DANS CE GENRE DE BOULOT, C'EST DE FAIRE BONNE IMPRESSION DÈS LE DÉPART!

PEU APRÈS...

HÉ, RICKY T'ES SÛR QUE C'EST LÀ? C'EST PAS UN MAGASIN ANGLAIS, C'EST UN SURPLUS...

BOF, ANGLAIS OU AMÉRICAIN, QUELLE DIFFÉRENCE! ALLEZ, À CE SOIR LUCIEN!

MAURICE, Y A QUELQU'UN QUI TE DEMANDE!!

HUM!

?

12

PLUS TARD... LAISSE TOMBER LE RANGEMENT, LUCIEN, OCCUPE-TOI PLUTÔT DE CES DEUX CLIENTS QUI VEULENT DES 501...

BIEN M'SIEUR!

TU PEUX M'APPELER M'SIEUR MAURICE... ALLEZ, VAS-Y, JE TE REGARDE!

DITES, VOUS N'AURIEZ PAS DU 42 ... LE 40 EST PEUT-ÊTRE UN PETIT PEU JUSTE, JE CROIS...

EN EFFET, MAIS JE N'AI PLUS DE 42... C'EST CON!

PERMETTEZ... C'EST EXACTEMENT LA TAILLE QU'IL VOUS FAUT!

C'EST UN TISSU QUI SE DÉTEND BEAUCOUP!

VOUS CROYEZ? BEN ALORS, SI VOUS L'DITES, JE LE PRENDS!

VOUS NE PENSEZ PAS QUE CELUI-CI EST TROP LARGE Z'AVEZ PAS MOINS LARGE?

HEU ...MOINS LARGE? IL RISQUE D'ÊTRE TROP COURT...

ET PUIS ÇA SE PORTE LARGE MAINTENANT!

DE TOUTE FAÇON JE PEUX VOUS GARANTIR QU'APRÈS UN LAVAGE IL VOUS IRA COMME UN GANT!

?

C'EST UN TISSU QUI RÉTRÉCIT!

NI REPRIS NI ÉCHANGÉS!

ET VOILÀ, C'EST PAS PLUS DIFFICILE QUE ÇA! ALORS, TU AS COMPRIS LUCIEN?

HEU... JE CROIS...

VOUS ÊTES SÛR QUE VOUS N'EN AVEZ PAS DE PLUS PETIT?...

JE PEUX TOUT DE MÊME PAS LUI DIRE QUE CE BLOUSON EN DAIM VA RÉTRÉCIR...

BEN...

MAIS IL VOUS VA TRÈS BIEN CE BLOUSON JEUNE HOMME!

C'EST PARCE QUE VOUS LE PORTEZ MAL!.. TENEZ, FERMEZ-LE!

VOUS ALLEZ VOIR!

VOUS PENSEZ QUE FERMÉ...

ALORS, VOUS VOYEZ? IL VOUS VA PARFAITEMENT!

MAIS C'EST VRAI! BEN ÇA ALORS, JE N'AURAIS JAMAIS CRU!

13

M'SIEUR MAURICE, REGARDEZ! TOUS LES JEANS DE CETTE CAISSE SONT COMPLÈTEMENT FICHUS!

HA?! CE SONT CEUX QUE J'AVAIS DONNÉS À DÉLAVER...

ILS Y SONT ALLÉS UN PEU FORT SUR L'EAU DE JAVEL!..

BEN QU'EST-CE QU'ON FAIT? VOUS ÊTES ASSURÉ POUR ÇA?

BOF, T'EN FAIS PAS! J'EN AI VU D'AUTRES, TIENS, FAIS COMME MOI, TU VAS VOIR!

HEIN?!

CRAC

NOUVEAU

BLUE JEAN DESTROY

FROM LONDON

450ᶠ

WOUAH!! GÉNIAL CE BEN... JE CRAQUE!

DEPUIS LE TEMPS QUE J'EN CHER-CHAIS!

IL EST D'ENFER!

JE PEUX TE PARIER QUE LA SEMAINE PROCHAI-NE, TOUT LE SEN-TIER EN VENDRA!

350ᶠ

2500ᶠ

OUI, JE PEUX T'AIDER?

BEN JE ME TÂTE... J'HÉSITE ENTRE LE TEDDY ET LE PERFECTO.

PRENDS LE TEDDY... LE PERFECTO, C'EST POUR LES MÉCHANTS, LES VRAIS DURS, LES BAGARREURS...

BEN, JUSTE-MENT...

2500ᶠ

1500ᶠ

DONNE-MOI DONC PLUTÔT LE PERFECTO!

HÉ, BRAVO LUCIEN! JE VOIS QUE TU FAIS DES PROGRÈS! FINALEMENT TU ES ASSEZ DOUÉ!

BEN J'Y COMPRENDS RIEN, JE LUI AVAIS JUSTEMENT CON-SEILLÉ L'AUTRE!

ÇA, MON VIEUX, FAUT JAMAIS CHERCHER À COMPRENDRE!

PLUS TARD...

ÇA Y EST, CELLES-LÀ ME VONT... MAIS VOUS N'AVEZ QUE CETTE COULEUR?

ÇA TE PLAÎT MIMI?

HA, NON! ÇA FAIT MAUVAIS GENRE!

BON, JE PRENDS CETTE COMBINAISON!.. VOUS AVEZ AUSSI DES COMPTEURS GEIGER?

J'Y PENSE, JE FAIS UNE PETITE FÊTE CE SOIR CHEZ MOI... JE T'INVITE!

HA, C'EST SYMPA!.. JE SUIS VRAIMENT TOUCHÉ!

MAIS IL EST PAS HOMOLOGUÉ CE CASQUE?!

BONJOUR, C'EST ENCORE MOI... HEU, VOUS L'AVEZ TOUJOURS LE PETIT BLOU-SON TEDDY DE TOUT À L'HEURE?

16

PEU· APRES

IL NE ME VA PAS, JE VOUS ASSURE QU'IL EST TROP COURT!

VOUS VERREZ QUAND ON S'EST HABITUÉ, ON NE VEUT PLUS LE QUITTER!

ALORS? COMMENT IL VA CE P'TIT BLUE-JEAN MADEMOISELLE?

HÉ?! VOUS GÊNEZ PAS!!

HO, PARDON! S'CUSEZ-MOI!!

AIDEZ-MOI!! JE PEUX PAS L'ENLEVER!

HA, TIENS, QU'EST-CE QUE JE VOUS DISAIS!! L'ESSAYER C'EST L'ADOPTER!

IL VAUT COMBIEN CE BLOUSON DE CUIR?

LES PERFECTOS D'OCCASION SONT À 1000 FOO... MAIS JE PEUX LE DESCENDRE À 999 FOO!

DANS CE CAS! C'EST UNE AFFAIRE, JE LE PRENDS!!

DIS LUCIEN, TU CONNAIS PAS UN BON MÉCANO QUI BOSSE POUR PAS CHER, DES FOIS?

MAIS SI, JUSTEMENT J'HABITE AVEC UN POTE QUI TRAVAILLE DANS UN GARAGE ULTRA MO-

GARAGE MODERNE

TÔLERIE - PEINTURE

DERNE!.. J'VOUS RACONTE PAS LES BOLIDES QUI LUI PASSENT ENTRE LES MAINS...

QUAND T'AURAS FINI LA VIDANGE DE LA 2CV...

TU JETTERAS UN ŒIL À LA 4L DE M'SIEUR LÉON!

ÇA Y EST! JE L'AI ENFIN RETIRÉ!

J'AI TELLEMENT TIRÉ DESSUS QU'IL DOIT M'ALLER MAINTENANT QU'IL EST PLUS LONG!

OUI MAIS IL EST PLUS CHER, AUSSI

JE PEUX VENIR CE SOIR AVEC LUI SI VOUS VOULEZ...

BONNE IDÉE! ET TU AS AUSSI UN COPAIN QUI BOSSE COMME SERVEUR CHEZ "TROIS CROCS"

EXCUSEZ-MOI, VOUS N'AURIEZ PAS VU UN BLOUSON EN CUIR?..

HA, OUI... RICKY!

C'EST ÇA!! VENEZ ENSEMBLE, DISONS VERS 20H, HEIN?.. BON, C'EST D'ACCORD, JE COMPTE SUR VOUS!

UN PERFECTO EN CUIR NOIR QUE J'AVAIS POSÉ LÀ TOUT À L'HEURE!

ÇA TE DIT QUELQUE CHOSE TOI, UN PERFECTO EN CUIR NOIR?

HEU... UN PERFECT... HO!! BON SANG! JE L'AI VENDU!

15

LE SOIR, VERS 19H...

PPFF! QUELLE JOURNÉE! JE TE RACONTE PAS, RICKY!

LE CAMARADE TRAVAILLEUR EST SUR LES ROTULES?.. C'EST DUR AU DÉBUT!

ALLEZ, UN YAOURT ET AU LIT!

HA, NON! CE SOIR, ON EST TOUS INVITÉS CHEZ MON PATRON! IL FAIT UNE FÊTE!

EH BIEN VOUS IREZ SANS MOI! CE SOIR IL Y A UN BON MATCH DE FOOT À LA TÉLÉ!

MAIS T'ES DEVENU UN VRAI BEAUF AVEC TON FOOT, J'LE CROIS PAS, ÇA!

ET GILLOU, IL EST LÀ?

OUAIS, J'CROIS QU'IL BRICOLE DANS SA PIAULE... ÇA M'ÉTONNERAIT QU'IL VEUILLE SORTIR!..

ÇA VA GILLOU, T'ES EN FORME?

ON SORT CE SOIR, MON PATRON NOUS INVITE CHEZ LUI, TU VIENS?..

ÇA TOMBE MAL, IL FAUT QUE JE REMONTE UNE TRIUMPH POUR CE WEEK-END...

BON ÇA VA, RESTEZ LÀ!! J'IRAI PAS NON PLUS, MON PATRON SERA FURIEUX, JE SERAI RENVOYÉ, JE DEVIENDRAI CHÔMEUR ET MA VIE SERA BRISÉE, MAIS TANT PIS, N'EN PARLONS PLUS!

CALME-TOI LUCIEN, ON VA VENIR!

OUI, ON DISAIT ÇA POUR RIRE, MAIS ON VIENT!

VERS 20H...

ÇA VA VOUS CHANGER LES IDÉES... JE SUIS SÛR QUE VOUS ME REMERCIEREZ APRÈS...

DIS, ÇA A L'AIR CALME... ON DOIT ÊTRE LES PREMIERS!

HA, BONSOIR MES AMIS, MERCI D'ÊTRE VENUS, LUCIEN M'A BEAUCOUP PARLÉ DE VOUS...

RICKY ET GILLOU!

ENTREZ, VOUS ÊTES LES PREMIERS, JE SUIS EN RETARD... IL Y A ENCORE PLEIN DE CHOSES À PRÉPARER!

ALORS GILLOU C'EST VOUS, L'AS DE LA MÉCANIQUE?

HO, FAUT RIEN EXAGÉRER...

SUIVEZ-MOI, JE VAIS VOUS MONTRER UN VÉRITABLE JOYAU!

ET VOILÀ LA 8ème MERVEILLE DU MONDE... MALHEUREUSEMENT J'AI DES PETITS PROBLÈMES AVEC L'ALLUMAGE... TU T'Y CONNAIS LÀ-DEDANS?..

BEN JE VAIS REGARDER ÇA

~MAURICE~

8751H92

BON, ON VA LE LAISSER TRAVAILLER TRANQUILLEMENT, HEIN?

ALORS COMME ÇA, VOUS FAITES LE SERVICE CHEZ "TROIS CROCS"...

ÇA NE VOUS EMBÊTERAIT PAS TROP DE M'EN RENDRE UN PETIT, JUSTEMENT?...

16

18

TIENS, ALORS COMME ÇA, VOUS ÊTES UN DRAGUEUR ?

HÉ! HÉ! C'EST UN MARRANT MAURICE, HEIN ?

HA, LE SALAUD !! IL VEUT ME CASSER LA BARAQUE AVEC SES VANNES...

AIMER ♪ JUSQU'AU DERNIER COMBAAAT!

AU FAIT, VOUS ÊTES UNE AMIE DE MAURICE ?

C'EST PARFAIT POUR ENGAGER LA CONVERSA-TION!..

PAS DU TOUT C'EST GISÈLE, AVEC QUI JE PARTAGE MON APPARTE-MENT QUI LE CONNAÎT...

ET VOUS, C'EST VOTRE AMI ?

ZZZ

J'ESPÈRE QUE MON PARFUM NE VOUS DÉRAN-GE PAS TROP!

ÇA VA MERCI!

HEU... PAS EXACTE-MENT, C'EST PLUTÔT UNE RELATION DE TRAVAIL...

HA BON, VOUS FAITES QUOI?

JE VENDS DES FRING... HEU... JE SUIS DISONS, DANS LE PRÊT-À-PORTER...

HÈ?! MAIS JE RÊVE OU QUOI?! ELLE M'A ENLACÉ... QU'EST-CE QUE JE FAIS?..

J'AI TRÈS ENVIE DE L'EM-BRASSER, MAIS JE NE POURRAI JAMAIS...

DÉJÀ QUE J'OSE PAS LA TOUCHER TELLE-MENT J'AI LES MAINS MOITES!

ALLEZ, COURAGE! TE DÉGONFLE PAS, LUCIEN, VAS-Y!!

BON, JE COMPTE JUSQU'À TROIS ET APRÈS, T'Y VAIS!

UN.... DEUX... HEU... DEUX ET DEMI...

ET TR... EXCUSE-MOI MAIS JE VAIS RENTRER, JE TE RAMÈNE?

HEIN? TU RENTRES DÉJÀ?

BON, EH BIEN ATTENDS-MOI, JE VAIS CHER-CHER MES AFFAIRES...

HEU... JE CROIS QUE JE VAIS DEVOIR REN-TRER... ALORS...JE VAIS VOUS DIRE AU REVOIR...

HA, BON? BEN... HEU... AU REVOIR!

PEU APRÈS...

MAIS QUEL CON!! JE L'AI LAISSÉE PARTIR SANS RIEN DIRE !!

J'AURAIS PU LA RACCOM-PAGNER!

C'EST PAS POSSIBLE D'ÊTRE AUSSI NUL!

ET JE LUI AI MÊME PAS DEMAN-DÉ SON NOM NI SON NUMÉRO DE TÉLÉ-PHONE!! QUEL CON! QUEL CON !!

19

27

22

BON, ALORS, QU'EST-CE QU'ON PREND COMME LÉGUMES?

BOF, C'EST TROP CHIANT À ÉPLUCHER, JE LES PRÉFÈRE NETTEMENT EN BOÎTE!

ET UNE PETITE SALADE, ÇA TE DIT?

PFFF, C'EST GALÈRE À PRÉPARER ET ON EN JETTE À CHAQUE FOIS LA MOITIÉ!!

PAR CONTRE, ON POURRAIT SE FAIRE UN BON STEACK, QU'EN PENSES-TU?

BEURK! TOUTE CETTE BIDOCHE ÉTALÉE, ÇA M'ÉCOEURE!

BON, ON LAISSE TOMBER POUR LA VIANDE... D'AILLEURS, IL PARAÎT QU'IL FAUT PAS EN ABUSER...

T'AS RAISON, QUAND TU VOIS LA TÊTE DES BOUCHERS, T'AS COMPRIS L'DANGER!

EN EFFET, C'EST MOI QUI LE RÉCOLTE, POURQUOI?

MIEL

HERBES DE PROVENCE

PRODUITS N

PAR CONTRE, LE POISSON C'EST BON POUR LA SANTÉ, ÇA!

MOUAIS, À CONDITION DE NE PAS AVALER D'ARÊTES! PERSONNELLEMENT JE N'Y TIENS PAS!!

HA! LES BELLES SALADES

ON AURAIT PEUT-ÊTRE PU PRENDRE DES FRUITS DE MER?

C'EST ÇA, POUR SE RETROUVER À L'HOSTO?!! MERCI!

JE PRENDS CELUI-CI, MADAME!

ALORS, QU'EST-CE QU'ON LUI SERT?...

EN PLEIN LAC

BOM BOM BOM

DES FRUITS!! VOILÀ CE QU'IL NOUS FAUT!! DES BANANES, DES POMMES, DES PÊCHES, DU RAISIN...

UNE BELLE SALADE!

TU SAIS, LES FRUITS, ON LES LAISSE TOUJOURS POURRIR...

AH! LES P'TITS POIS, LES P'TITS POIS, LES P'TITS POIS

AVEUGLE & VÉGÉTARIEN

JE SENS QUE ÇA VA ENCORE SE TERMINER PAR UN PLAT DE COQUILLETTES-JAMBON!!

PAS FORCÉMENT, ON POURRAIT FAIRE DES SPAGHETTI AU GRUYÈRE!

VOUS AVEZ DES BROCOLIS?

QU'EST-CE QUE TU EN DIS, LUCIEN?... MA PAROLE, IL EST RAIDE OU QUOI?...

C'EST BIZARRE, IL A PAS DIT UN MOT DE LA JOURNÉE, C'EST PAS NORMAL...

OUI, MAIS C'EST REPOSANT... TU AS VU, IL A L'AIR COMPLÈTEMENT ABRUTI...

ÇA, C'EST PLUTÔT NORMAL... HÉ, LUCIEN, ÇA VA PAS?!!

23

UNE HEURE PLUS TARD... JE VAIS L'EMMENER AU CINÉMA VOIR UN BON FILM D'ÉPOUVANTE OU UN FILM À SUSPENS.

ELLE AURA PEUR ET SE BLOTTIRA CONTRE MOI!

ET SI ON ALLAIT À LA FOIRE DU TRÔNE ?.. LE TRAIN FANTÔME C'EST SUPER POUR DRAGUER ... ET PUIS Y A AUSSI LES AUTO-TAMPONS, C'EST PAS MAL ÇA AUSSI ... MAIS NON, C'EST PAS SON GENRE ...

ELLE PRÉFÉRERA SANS DOUTE LE CINÉMA...

PARAIT QU'ON JOUE "VAMPIRA CONTRE DRACURELLA" AU KINOS ... ÇA PEUT PAS ÊTRE MAL ÇA!

HA, LA VOILÀ!

BONJOUR ... VOUS ALLEZ BIEN DEPUIS HIER SOIR ?.. C'ÉTAIT SYMPA, HEIN ?..

TRÈS SYMPA!

ON SE TUTOIE! ÇA TE DIRAIT D'ALLER VOIR UNE EXPOSITION D'ART AFRICAIN CET APRÈS MIDI?

HEIN? DE L'ART AFRICAIN ?! HEU ... BEN SI TU VEUX ... MAIS SINON ON AURAIT PU ALLER VOIR UN BON FILM ...

REMARQUE, JE SUIS PAS CONTRE NON PLUS, TU SAIS ...

IL Y A UN FESTIVAL DU CINÉMA TURC D'AVANTGUERRE À LA CINÉMATHÈQUE ...

HEU... FINALEMENT, TON IDÉE D'EXPO EST TRÈS BONNE !.. D'AILLEURS, J'ADORE L'ART AFRICAIN !..

TU VAS POUVOIR M'AIDER JE PRÉPARE UNE THÈSE LÀ-DESSUS ...

PEU APRÈS, AU MUSÉE ...

QUE PENSES-TU DE CETTE STATUE BAMBARA, LUCIEN ?.. QUEL TRAVAIL FANTASTIQUE, QUELLE FINESSE ...

C'EST DINGUE!

C'EST QUOI CE TRUC ?.. UN FAUTEUIL?

ET CE MASQUE BAOULÉ, NE LE TROUVES-TU PAS MAGNIFIQUE ?..

J'SUIS SCIÉ!

C'EST BIEN VRAI, ÇA TE PLAIT?

HAAAA! CELUI-LÀ, IL EST VRAIMENT GÉNIAL!

HO ?! LE TRÔNE BAMILEKE !!

25

NON MAIS ÇA VA PAS ?! ESPÈCE DE SAUVAGE !!

PFFF! JE VAIS PAS LUI CASSER SON TRÔNE! J'SUIS PAS PLUS LOURD QU'UN CHEF AFRICAIN!

ALLONS VOIR PLUS LOIN, ÇA VAUT MIEUX !..

REGARDE COMME IL EST DRÔLE CELUI-LÀ, AVEC CETTE COIFFURE RIDICULE !!

C'EST SINISTRE ICI... QU'EST-CE QUE JE POURRAIS BIEN FAIRE POUR DÉTENDRE UN PEU L'ATMOSPHÈRE ?..

TIENS, CE MASQUE ME DONNE UNE IDÉE...

BOULOU BOULOU HOUNGA BAKALÉ N'GUÉRÉ BOUROUBA... ♪

HO.!!

MAIS TU ES FOU LUCIEN, REPOSE ÇA!

PFFF... MOI, LES JOURNÉES AU MUSÉE, ÇA ME TUE...

HOUNGA!!

ATTENTION, VOILÀ LE GARDIEN!

J'VAIS ALLER RETROUVER MA CHAISE!

PENDANT CE TEMPS...

ALORS, T'ES SÛR QUE TU VEUX PAS COURIR AVEC MOI ?..

BEN, EN FAIT, ÇA M'ARRANGE PAS TROP CE MATIN...

EH BIEN, TU AS OUBLIÉ QUELQUE CHOSE, RICKY?

NON, POURQUOI?.. J'AI FINI MON FOOTING, TU SAIS, FAUT Y ALLER MOLLO AU DÉBUT!

J'VEUX PAS M'FAIRE UN CLAQUAGE!

VA TE REPOSER DEVANT SPORT-DIMANCHE!

EN ATTENDANT JE ME DEMANDE BIEN CE QUE PEUT FAIRE LUCIEN EN CE MOMENT...

EH, BEN TU VOIS J'AIMERAIS BIEN ÊTRE À SA PLACE POUR UNE FOIS!

MAIS C'EST PAS VRAI, IL VA PAS S'INSTALLER ICI!! JE VAIS CREVER LÀ-DESSOUS SI ÇA CONTINUE...

NE BOUGE SURTOUT PAS, LUCIEN, IL POURRAIT TE VOIR... MOI JE CONTINUE LA VISITE...

* ÇA VEUT RIEN DIRE...

26

UN PEU PLUS TARD...

HEU...EXCUSE-MOI SUZIE POUR TOUT À L'HEURE, TOUS CES MASQUES, ÇA M'A MONTÉ À LA TÊTE...

IL NE FAUT PAS PLAISANTER AVEC ÇA, IL Y A DES POUVOIRS MAGIQUES DANS CES OBJETS, TU SAIS!

ELLE A L'AIR DE MASQUER!

ET SI ON ALLAIT BOIRE UN VERRE?

JE T'AI PAS DIT, UN AMI PEINTRE M'A INVITÉE À SON VERNISSAGE, ON POURRAIT Y PASSER, C'EST À DEUX PAS!

BEN, D'ACCORD SUZIE, ON Y VA!

GALERIE

C'EST ICI! HA, J'ADORE SA PEINTURE! C'EST UN GRAND ARTISTE!

C'EST ÇA SA PEINTURE TU ES BIEN SÛRE?

IL A DÛ SE TROMPER, IL EXPOSE SES PALETTES!

HUM! JE SENS QU'IL VA ME PLAIRE CELUI-LÀ!

SALUT GEORGES!

HAAAAA! VOILÀ LA PLUS BELLE! PAR ICI MA CHÉRIE!

GEORGES, JE TE PRÉSENTE MON AMI LUCIEN...

DITES-MOI JEUNE HOMME, VOUS CONNAIS-SEZ LA PEINTURE GESTUELLE?...

BEN...À VRAI DIRE, JE CONNAIS SURTOUT L'ACRYLIQUE OU LA VINYLIQUE...

MAIS LUCIEN, LA PEINTURE GESTUELLE C'EST DE LA PEINTURE SPONTANÉE, QUOI, TU COMPRENDS?

HA! HA! HA! JE VOIS, VOUS PEIGNEZ PLUTÔT AU ROULEAU, N'EST-CE PAS?

BON, EXCUSEZ-MOI, JE VAIS VOIR S'IL Y A QUELQUE CHOSE À BOIRE...

MAIS IL SE PAYE MA TÊTE LE BARBU!!

C'EST LE GENRE DE MEC QUE JE PEUX PAS VOIR EN PEINTURE... J'LUI EN FOUTRAIS, MOI, DU GESTUEL!

PARDON!

PARDON

PARDON!

PFFF! LE BUFFET EST ENCORE MOINS ACCESSIBLE QUE SA PEINTURE!

HAAA, GARÇON, DONNEZ MOI UN DEMI BIEN FRAIS SANS FAUX-COL!

DÉSOLÉ, MONSIEUR...

MAIS IL NE RESTE PLUS QUE DE L'EAU MINÉRALE SANS BULLES!

EH BIEN, ON PEUT DIRE QUE LES BUFFETS DES GALERIES D'ART BAISSENT!

PARDON!

CHAUD DEVANT!

TIENS SUZIE, JE T'AI RAMENÉ UN VERRE D'EAU MINÉRALE...

HA, MERCI MON JEUNE AMI, VOUS ÊTES BRAVE!

MERCI LUCIEN!

MAIS JE RÊVE!! CE GROS CON M'A PIQUÉ MON VERRE!! ALORS LÀ, C'EST LA GOUTTE D'EAU MINÉRALE QUI...

PEU APRÈS...

QU'EST-CE QUI T'A PRIS LUCIEN?! POURQUOI TU ES PARTI COMME ÇA?

TU SAIS, LES MONDANITÉS C'EST PAS TROP MON TRUC, ET PUIS IL Y AVAIT TROP D'MONDE!

J'AURAIS PRÉFÉRÉ QU'ON SOIT TRANQUILLES... QUE TOUS LES DEUX, QUOI!

BON, POUR ME FAIRE PARDONNER, ET COMME GISÈLE EST PARTIE EN WEEK-END, JE T'INVITE À DÎNER CHEZ MOI!

HEIN?! CHEZ TOI?! TOUS LES DEUX?! C'EST VRAI?!..

ET ENFIN...

NE FAIS PAS ATTENTION À LA DÉCO, C'EST GISÈLE QUI S'EN EST OCCUPÉ!

ELLE S'ENTEN- DRAIT BIEN AVEC MA MÈRE, À CE NIVEAU-LÀ...

IL Y A DE LA BIÈRE DANS LE FRIGO, SI TU VEUX! PENDANT CE TEMPS JE ME CHANGE!

HEU... C'EST TA CHAMBRE?.. JE... JE PEUX ENTRER POUR VOIR?

BIEN SÛR! ALORS, ELLE TE PLAÎT?

HEIN?.. HA, OUI! LA CHAMBRE!! OUI... BEAU- COUP!!

MAIS ELLE SE DÉSHABILLE!! ET JE SUIS DANS SA CHAMBRE!!

VAS-Y LUCIEN, SAUTE-LUI DESSUS, ELLE N'ATTEND QUE ÇA!!

ALLONS, TU ES UN GENTLEMAN! RÉPRIME TES INSTINCTS BESTIAUX LUCIEN!

EH BIEN LUCIEN... À QUOI PENSES-TU?

28

29

ALLEZ MON PETIT GNOU-GNOU, NE SOIS PAS VEXÉ, J'AI PAS VOULU ME MOQUER...

HEU... TU VEUX PEUT-ÊTRE QUE J'ÉTEIGNE LA LUMIÈRE MAINTENANT...

NON, DIRIGE PLUTÔT LA LAMPE VERS LE HAUT ET METS MA CHEMISE DESSUS...

ÇA FERA UNE LUMIÈRE PLUS DOUCE, TU VERRAS!

SI ON ÉTEINT TOUT MARGERIN N'AURA PLUS RIEN À DESSINER!

ENFIN LA NUIT EST À NOUS! ALORS GNOU-GNOU TU ES HEUREUX D'ÊTRE AVEC MOI?...

DIS MOI DES MOTS GENTILS!

HEU... BEN... T'ES VACHEMENT BELLE, T'AURAIS FAIT UN MALHEUR À LA CASERNE!

HUMMM... CE SERAIT VRAIMENT LE PIED SI TU NE LES AVAIS PAS AUSSI GELÉS!..

HAAA... JE ME SENS MONTER AU SEPTIÈME CIEL...

CIEL N°7

HAARRRRRAAAA!!!

BEN DIS DONC, FAUT PAS ÊTRE CARDIAQUE AVEC TOI!.. QU'EST-CE QUI T'ARRIVE?

JE NE SAIS PAS, J'AI DÛ M'ENDORMIR ET FAIRE UN CAUCHEMAR... J'ÉTAIS EN ENFER JE CROIS...

EH BIEN MERCI, C'EST AGRÉABLE!

LE DIABLE ME PIQUAIT LES FESSES... ÇA SENTAIT LE BRÛLÉ!

MAIS JE COMPRENDS TOUT!! C'EST PONPON QUI M'A GRIFFÉ LES FESSES, IL EST DANS LE LIT!!

ALLEZ PCHIITTTTT!! VADE RETRO SATANAS!

HO!! ET POUR L'ODEUR DE BRÛLÉ, JE SAIS D'OÙ ÇA VIENT!

32

LE LENDEMAIN MATIN...

ALLEZ RÉVEILLE-TOI MON GNOUGNOU, IL EST L'HEURE DE SE LEVER !

HMMM ?...

IL EST 11 HEURES, LE PETIT DÉJEUNER DE MONSIEUR EST SERVI !..

WOUAAAH ! JE TE DIS PAS COMME J'AI BIEN DORMI !

OUI, C'EST PAS LA PEINE, J'AI ENTENDU ÇA !

C'EST VRAI, J'AI PAS TROP ASSURÉ CETTE NUIT MAIS JE SUIS UN PEU SURMENÉ EN CE MOMENT...

MON PAUVRE PETIT GNOUGNOU TU TRAVAILLES TROP !

HEUREUSEMENT, TU AS CONGÉ LE LUNDI !

JE VAIS T'ACCOMPAGNER JUSQU'À CHEZ TOI EN ALLANT À LA FAC...

HA, BON ? HEU... BEN OUI, SI TU VEUX !..

AÏE ! SI ELLE VOIT DANS QUEL TAUDIS J'HABITE ÇA RISQUE DE CRAINDRE...

TU SAIS, FAUT PAS QUE ÇA TE DÉRANGE, C'EST PAS VRAIMENT TON CHEMIN...

C'EST PAS GRAVE, JE NE TRAVAILLE QUE CET APRÈM...

TU PRÉFÈRES PAS PLUTÔT QUE JE T'ACCOMPAGNE À LA FAC, HEIN ?

MAIS NON, J'AIMERAIS BEAUCOUP VOIR LE JOLI PETIT PAVILLON DONT TU M'AS PARLÉ...

HA ? J'AI DIT "JOLI PETIT PAVILLON"? ENFIN, TOUT EST RELATIF...

PEU APRÈS...

VOILÀ, C'EST CELUI-LÀ...

LÀ, IL REND PAS TERRIBLE, MAIS FAUT LE VOIR AVEC DU SOLEIL, ÇA CHANGE TOUT !

ET EN PLEINE NUIT, JE TE RACONTE MÊME PAS !

HUM... TIENS, VOUS ÊTES LÀ ?

ALORS PETIT CANAILLOU ON DÉCOUCHE ?! ALLEZ, RACONTE, C'ÉTAIT BIEN ?

OUAIS, C'ÉTAIT UN BON COUP ?..

BEN JUSTEMENT, JE VOUS PRÉSENTE SUZIE... HEU, ET VOILÀ RICKY ET GILLOU...

SALUT !

HO!!

33

PLUS TARD...

ILS SONT TRÈS BONS! TU ES SÛR DE NE PAS VOULOIR Y GOUTER?

MERCI SUZIE MAIS JE N'Y TIENS PAS... TU ES GENTILLE!

TU AS TORT, L'AIL C'EST EXCELLENT POUR LA SANTÉ!

C'EST ÇA! ET POUR L'HALEINE AUSSI C'EST EXCELLENT SANS DOUTE?

ENFIN, JE N'INSISTE PAS! ÇA EN FERA PLUS POUR LES AUTRES... BON, JE VAIS VOIR OÙ EN EST LE CHILI!

TU SAUCES PAS LE FOND DU PLAT? C'EST LE MEILLEUR!

MERCI, MAIS JE VEUX GARDER DE L'APPÉTIT POUR LE CHILI!

IL Y A INTÉRÊT PARCE QUE SINON ON VA EN MANGER TOUTE LA SEMAINE...

ALLEZ LUCIEN, TU VAS BIEN EN PRENDRE UN PEU?!

NON RICKY! JE T'AI DIT QUE J'EN VOULAIS PAS, C'EST CLAIR, NON?

LAISSE TOMBER RICKY, MONSIEUR SOIGNE SA LIGNE!

C'EST VRAI ÇA? TU FAIS UN RÉGIME?.. TU N'ES PAS SI GROS!

MAIS PAS DU TOUT, JE SUIS TRÈS BIEN! MAIS J'AI PAS FAIM, C'EST TOUT!

TU PARLES, JE MEURS DE FAIM MAIS SI JE BOUFFE DE ÇA, C'EST TCHERNOBYL II!

POUFFF! EH BEN MOI, J'EN PEUX PLUS!

SI TU VEUX, IL Y A UN VIEUX MUNSTER DANS L'FRIGO, POUR TOI!

MERCI BIEN!

TU VAS QUAND MÊME GOUTER À MON GÂTEAU AU CHOCOLAT, DIS?

SI C'EST TOI QUI L'AS FAIT ALORS JE NE DIS PAS NON, PAR GOURMANDISE!

MOI PAR CONTRE, JE CALE!

TON ASSIETTE LUCIEN!

JE CROIS MÊME QUE LE CHOCOLAT EST APHRODISIAQUE!

MOI AUSSI JE PRÉFÈRE ATTENDRE UN PEU...

HUMM! MAIS IL EST BON... TRÈS BON!

JE CHENS QUE L'APPÉTIT REVIEN', CHA VA MIEUX!

BROUPS SLOM MIAM

PEU APRÈS...

HO, J'AI L'IMPRESSION QU'IL A UN PEU ABUSÉ...

ÇA VA TOUJOURS BIEN, LUCIEN?

HEU... J'AI DÛ MANGER UN PEU VITE... JE ME SENS LÉGÈREMENT BALLONNÉ!..

33

LE LENDEMAIN MATIN...

NON MAIS SANS DÉCONNER, ELLE FAISAIT PAS TROP LA GUEULE SUZIE HIER SOIR ?

T'EN FAIS PAS, ON ÉTAIT LÀ POUR S'OCCUPER D'ELLE !

OUAIS, TU PEUX TE VANTER D'AVOIR DE BONS COPAINS, TU SAIS ?!

AVANT DE PARTIR, ELLE A DIT: VOUS EMBRASSEREZ BIEN MON PETIT GNOUGNOU POUR MOI...

TU NOUS AVAIS PAS DIT QUE TU ÉTAIS UN PETIT GNOUGNOU !..

PETIT CACHOTTIER VA !

HA! HA! HA! LA TÊTE DU GNOUGNOU HIER SOIR !..

OUAIS BEN VOUS SAVEZ CE QU'IL VOUS DIT LE GNOUGNOU ?!

HA! HA! HA!

BOM BOM BOM

ARRRÊTE J'EN PEUX PLUS !!

C'EST ÇA, MARREZ-VOUS !!

QUAND VOUS SEREZ CALMÉS APPELEZ-MOI !

HOU, HOU, J'AI MAL !

BEN QUOI, LUCIEN... FAIS PAS LA TRONCHE !!

HO! IL A PAS L'AIR CONTENT !

VLAM

IL DEVIENT SUSCEPTIBLE EN VIEILLISSANT ON DIRAIT !

EXCUSE-NOUS GNOUGN... HEU... LUCIEN ! ON VOULAIT PAS S'MOQUER DE TOI...

SI ON PEUT PLUS VANNER LES COPAINS MAINTENANT...

BON, ÇA VA, ÇA VA !... ON VA PAS EN CHIER UNE PENDULE !

PLUS TARD...

IL VOUS VA AU POIL !

VOUS ALLEZ TOMBER TOUTES LES GONZESSES AVEC ÇA !!

C'EST VRAI ?

LUCIEN, Y A QUELQU'UN QUI TE DEMANDE !

HEIN ?! BON, SANG ET SI C'ÉTAIT SUZIE ?

HO?

ALORS LULU ?... ON NE REMET PLUS LES COPAINS ?

ROBERT !! ÇA ALORS, QU'EST CE QUE TU FOUS ICI VIEILLE BRANCHE ?

HEU

VOUS FAITES QUELQUE CHOSE CE SOIR ?

39

41

ET ENFIN LE SOIR...

PFFF... QUELLE JOURNÉE D'ENFER JE SUIS MORT!

MOI AUSSI, J'AI BIEN FAIT 40 COUVERTS AUJOURD'HUI!

CE SOIR, JE M'ÉCROULE DEVANT LA TÉLÉ ET JE N'EN BOUGE PLUS!

OUAIIIS L'LÀ LES TRAVAILLEURS LA FÊTE PEUT COMMENCER!

FAITES PÉTER LA ROTEUSE!

PAN

QU'EST-CE QUI S'PASSE?.. TU ARROSES QUELQUE CHOSE?

OUI, SUZIE VIENT HABITER ICI AVEC MOI... HEU, ENFIN, AVEC NOUS!

SI VOUS ÊTES D'ACCORD!

BIEN SÛR ON EST D'ACCORD! TU ES LA BIENVENUE SUZIE!

MAIS IL FAUT AUSSI QUE JE VOUS PRÉVIENNE, JE NE SUIS PAS SEULE!

COMMENT ÇA PAS SEULE? AVEC QUI TU... HÉ?! DANS QUOI J'AI MARCHÉ?!

VEINARD, C'EST LE PIED GAUCHE, ÇA PORTE BONHEUR, RICKY!

HO! C'EST DE MA FAUTE, J'AI OUBLIÉ DE LUI METTRE SON PLAT!

HA, C'EST AGRÉABLE, JE VOUS JURE!

TIENS BEN JUSTEMENT LE VOILÀ!

ALLEZ PONPON, VIENS DIRE BONJOUR!

C'EST POUR QUI LA BONNE LITIÈRE?

IL EST TOUT INTIMIDÉ, MAIS IL VA S'HABITUER TRÈS VITE!

PATOSEC LITIÈRE

J'ESPÈRE QU'IL VA AUSSI S'HABITUER À SON PLAT!

MAIS OUI IL EST TRÈS PROPRE!

QUI C'EST QUI VA FAIRE UN GROS PIPI? QUI C'EST?

ON DIRAIT QUE ÇA MARCHE!

BIEN SÛR, TOUS LES CHATS ONT L'INSTINCT DE PROPRETÉ, C'EST CONNU!

À PARTIR DE MAINTENANT VOUS N'AUREZ PLUS RIEN

À RAMASS....?!

HO?!

FROT FROT

FROT FROT

FROT

PUIS, UN BEAU JOUR... SALUT LES MECS, C'EST MOI, ROBERT! ALORS, QU'EST CE QUE J'APPRENDS? LULU S'MAQUE?!

LULU? SMACK!

BEN OUAIS, PARAÎT QUE LULU EST MAQUÉ AVEC UNE PETITE?

SACRÉ LULU... AU FAIT, IL EST PAS LÀ!

BEN, IL DEVRAIT PAS TARDER À RENTRER...

DIS, C'EST À TOI LA VIEILLE ANGLAISE QUI EST DANS L'JARDIN?.. TU M'LA F'RAS ESSAYER TOUT À L'HEURE?..

T'INQUIÈTE PAS J'SUIS UN AS DE LA BÉCANE! J'EN AI EU DES DIZAINES!..

BEN, HEU....

TIENS, V'LÀ LUCIEN ET SUZIE QUI ARRIVENT JUSTEMENT...

ROBERT?.. QUELLE BONNE SURPRISE!

MAIS DIS-DONC, T'AS PLUTÔT BON GOÛT?! ALORS, TU ME PRÉSENTES PAS?..

BEN VOILÀ, C'EST SUZIE... ET ROBERT!

SACRÉ LULU, TU M'ÉTONNERAS TOUJOURS! AU FAIT, TU AS PENSÉ À MA PAIRE DE "RANGERS"?

DITES, QUAND VOUS EN AUREZ MARRE DE LULU, PASSEZ ME VOIR!

OUAIS BEN SOIS PAS TROP PRESSÉ!

HÉ, GILLOU... FAUT FAIRE QUELQUE CHOSE! MAURICE VA PASSER ET VAUDRAIT MIEUX PAS QU'ILS SE RENCONTRENT, ILS PEUVENT PAS SE SAQUER!

O.K!

PEU APRÈS...

C'EST COOL DE ME LA PRÊTER POUR LE WEEK-END... T'EN FAIS PAS, J'Y F'RAI GAFFE!

SURTOUT FAIS ATTENTION AUX FREINS!

VROOMM VROMM VROMM

ALLEZ CIAO!

HÉ! ATT...

VROOMM

BANG

BON SANG!! MON PAUVRE VAN "C'EST FORT ALAMO"!!

REGARDE MAURICE, LE CHAUFFARD A ATTERRI SUR TON LIT AVEC SES CHAUSSURES!

MAURICE

UN MOIS PLUS TARD...

FAUT PAS OUBLIER BOUFCHIDOR, ON LUI PREND QUOI ?.. DES BOULETTES AU BOEUF ET CAROTTES ?

HA NON ! IL AIME PLUS ÇA... FAUT LUI PRENDRE DU LAPIN !

C'EST VRAI !

ET ENCORE, PAS N'IMPORTE QUELLE MARQUE !

ET ÇA, MENUS MORCEAUX DE GIBIER... ÇA A PAS L'AIR MAL !

TU M'ÉTONNES ! À CE PRIX-LÀ, IL PEUT AIMER !.. 5F LA P'TITE BOÎTE !!

Y A QU'À LUI PRENDRE UN GROS SAC DE CROQUETTES ET BASTA !

TU SAIS BIEN QUE SUZIE VEUT PAS QU'ON LUI EN DONNE !..

C'EST DOMMAGE PARCE QUE ÇA LE CONSTIPE ET APRÈS ON EST TRANQUILLES !

OUAIS, BEN À PROPOS FAUT AUSSI ACHETER DE LA LITIÈRE !.. LE 10 KILOS EST LE PLUS ÉCONOMIQUE !

BERK !

OUAIS, EN TOUT CAS SÛREMENT LE PLUS LOURD !

ON PREND LAQUELLE, L'ORDINAIRE OU LA PARFUMÉE ?

PATOSEC LITIÈRE PLUS SAINE

L'ORDINAIRE IL LA PARFUMERA LUI-MÊME !

EXCUSEZ-MOI, EST-CE QUE VOTRE CHAT AIME LE "THON ET SARDINES" DE CHEZ GRACAT ?

"THON ET SARDINES" IL AIME PAS TROP ÇA BOUFCHIDOR, PAR CONTRE "POUBELLE ET PLANTES VERTES"...

C'EST JOLI BÜFSHIDOR... ÇA VIENT D'OÙ CE NOM ?

EN FAIT, SON VRAI NOM C'EST PONPON

ON L'A SURNOMMÉ COMME ÇA PARCE QUE C'EST SON UNIQUE PROGRAMME !

PATOSEC

BON, JE RÉCAPITULE... ON A PRIS LA BOUFFE, LA LITIÈRE, LE COLLIER ANTI-PUCES,... HEU, ON N'OUBLIE RIEN ?..

HA, SI ! L'HERBE À CHAT !

PAS BESOIN, IL A BOUFFÉ DÉJÀ TOUTE LA NÔTRE !

PEU APRÈS...

ZUT ! ON A OUBLIÉ LE "GRIFFODROME"... HEUREUSEMENT QU'ON A PAS UN TAPIS PERSAN !

MAINTENANT, CE SERAIT PLUTÔT UN TAPIS PERCÉ !

SUM

REGARDE, LUCIEN A FAIT UNE CHATIÈRE DANS LA PORTE !

T'AURAIS DÛ LA FAIRE PLUS GRANDE QU'ON PUISSE PASSER QUAND ON OUBLIE NOS CLÉS...

ET TU PENSES QUE BOUFCHI... HEU, PONPON VA PIGER ?

BIEN SÛR ! TU VAS VOIR, IL EST DEHORS, JE VAIS OUVRIR UNE BOÎTE ET IL VA ACCOURIR !

FINIS LES DÉPLACEMENTS PERMANENTS POUR LUI OUVRIR LA PORTE !

JE PENSE À TOUT, MOI !

CROUIII CROUIII CROUIII

HO ?!

UN AUTRE JOUR...

BILALSKI SUR ROBIALOF...

MAIS VAS-Y! TIRE!! MAIS TIIIRE, BORDEL! C'EST PAS VRAI!

ATTENTION AU PENO!

AÏE! IL EST À LA LIMITE DU HORS JEU!

CHANGE D'AÏLE!

LE BALLON! PASSE LE BALLON!

VOUS PENSEZ AUSSI AU MIEN?

OUAïiis!

ET C'EST LE BUUUT!

LA PORTE!

HÉ?!

HOURRA!

ON VA GAGNER! ON VA GAGNER!

AH ZUT! J'ÉTAIS AUX TOILETTES!

BEN ALORS? QU'EST-CE QUE VOUS FAITES LÀ? VOUS N'AVEZ PLUS LA TÉLÉ?

SI, MAIS SUZIE DÉTESTE LE FOOT ALORS ON VIENT REGARDER LES MATCHS ICI!

ET LUCIEN COMMENT IL VA?..

BEN ÇA VA DOUCEMENT... IL A ÉTÉ VIRÉ DE SON BOULOT APRÈS LE COUP DU VAN ACCIDENTÉ...

HA BON?

ALORS SUZIE EN PROFITE QU'IL NE BOSSE PAS POUR LE CULTIVER UN PEU...

ELLE LUI FAIT LIRE DES BOUQUINS GROS ET CHIANTS COMME DES ANNUAIRES, J'TE DIS PAS!

DIS, LUCIEN, C'EST PAUL VALÉRY QUI TE FAIT RIRE COMME ÇA?

HEU... BEN OUI, POURQUOI?

ELLE L'EMMÈNE AUSSI AU THÉÂTRE...

ALLEZ, AVOUE QUE TU NE T'ES PAS ENNUYÉ UNE SECONDE!

HEIN? C'EST DÉJÀ FINI?

LUI PASSE DE LA MUSIQUE CLASSIQUE...

ÉCOUTE-MOI CETTE SONATE, UNE MERVEILLE!

MOZART

ET L'INITIE À LA PEINTURE!

ET "LA BAIGNEUSE" DE RENOIR, QUEL CHEF-D'ŒUVRE! QU'EN PENSES-TU?

OUAïiis... ELLE EST BIEN ROULÉE LA MEUF!!

50

LE LENDEMAIN, À LA SORTIE DE LA FAC !..

DIS SUZIE, J'AI L'IMPRESSION QUE TU AS LE TICKET AVEC CE COURSIER !

HA! HA! TU EN AS DE LA CHANCE !

SALUT SUZIE, ALORS QUE PENSES-TU DE MA NOUVELLE MONTURE ?

HO! LUCIEN!

MAIS LUCIEN, QUE FAIS-TU LÀ, SUR CE SCOOTER... OU L'AS-TU TROUVÉ ?

J'SUIS VENU TE FAIRE LA SURPRISE...

JE VIENS DE ME FAIRE EM-BAUCHER COMME COURSIER ET C'EST LE SCOOTER D'LA BOÎTE...

TIENS, J'AI ENCORE DEUX PLIS À LIVRER... T'AS VU, J'AI PERDU CELUI-LÀ SUR LE PÉRIF MAIS HEU-REUSEMENT J'AI PU LE RÉCUPÉRER...

SI TU VEUX JE TE DÉPOSE AU PASSAGE !

C. GENDROT MONE HURANT 23-71 RUE DE ST-O... PARIS 75008

EXCUSE-MOI LUCIEN MAIS J'AI ENCORE À PARLER AVEC MES AMIS, ON SE RETROU-VE PLUS TARD...

DE TOUTE FAÇON AVEC MA JUPE ET SANS CASQUE !..

VOUS EN FAITES PAS, VIEUX ! ON LA RAMÈNERA, J'AI UNE VOITU-RE, MOI !

BON, JE VOIS BIEN QUE JE DÉRANGE !.. JE VOUS LAISSE À VOS BRILLANTES CONVERSATIONS !

FAUT QUE JE BOSSE, MOI !

BRRRRM

BEN DIS DONC, IL A PAS L'AIR CONTENT TON AMI !..

J'AI DÛ LE VEXER !

QUI C'EST CE TYPE BIZARRE ?

C'EST MON AMI... IL EST TRÈS GENTIL POURTANT D'HABITUDE...

FRANCHEMENT SUZIE, TU DEVRAIS SURVEILLER MIEUX TES FRÉQUENTA-TIONS, TU SAIS !

ET LE SOIR...

HEU... TU ES ENCORE FÂCHÉ POUR TOUT À L'HEURE ?

PFF, S'IL N'Y AVAIT QUE ÇA, CE SERAIT QUE DALLE !

MAIS JE VIENS DE ME FAIRE VIRER DE MON BOULOT !

QUOI ?! TU T'ES DÉJÀ FAIT VIRER ?! MAIS ENFIN, QU'EST-CE QUI S'EST PASSÉ ?

HO, RIEN... UNE CONNERIE ! PENDANT QUE JE LIVRAIS MON 1er PLI...

JE ME SUIS FAIT PIQUER L'AUTRE QUI ÉTAIT DANS MON COFFRE !

ET TU AVAIS SANS DOUTE OUBLIÉ DE LE FERMER, HEIN ?

BAH, ÇA N'AURAIT SERVI À RIEN PUISQU'ON M'A PIQUÉ LE SCOOTER AVEC !

47

ET EN FIN DE SOIRÉE...

HA, QUELLE SOIRÉE!.. ENTRE LES VANNES DOUTEUSES DE ROBERT ET LES GLOUSSEMENTS DE SA BLONDASSE...

BEN QUOI?

SI C'EST ÇA LE GENRE QUE TU AIMES TU ME DÉÇOIS! HA, ELLE FAIT BIEN LA PAIRE AVEC TON COPAIN!..

AUSSI VULGAIRES ET BÊTES L'UN QUEL'AUTRE!!

HO, ÉVIDEMMENT CE NE SONT PAS DES INTELLOS COMME TES AMIS DE LA FAC, MAIS AVEC EUX ON SE MARRE AU MOINS!

TU PARLES!

LES HISTOIRES D'ARMÉE, DE FOOTBALL OU DE MOTOS ÇA NE M'AMUSE PAS, JE SUIS VRAIMENT DÉSOLÉE!

OUAIS BEN EN ATTENDANT, ROBERT, IL M'A TROUVÉ UN BOULOT LUI!!

DÉFENSE FUMER ET CRACHER

C'EST BIEN LA MOINDRE DES CHOSES, C'EST À CAUSE DE LUI QUE MAURICE T'A FOUTU À LA PORTE!

ET PUIS TU PARLES D'UN BOULOT, DIDGÉ DANS UNE DISCOTHÈQUE!.. BRAVO!

BEN QUOI, C'EST UN JOB COMME UN AUTRE... ET PUIS, C'EST EN ATTENDANT DE TROUVER MIEUX!

BEN VOYONS! ON PEUT TOUJOURS RÊVER! CE QUE JE VOIS, MOI, C'EST QUE TU VAS TRAVAILLER PENDANT MES JOURS DE CONGÉS!

POLIC

REMARQUE, COMME ÇA TU SERAS TRANQUILLE POUR DRAGUER TOUTES LES BLONDASSES QUE TU VEUX, AVEC TON "POTE" ROBERT!

C'EST FORMIDABLE, ÊTRE PAYÉ POUR FAIRE LA FÊTE ET PICOLER!.. JE T'ESPÉRAIS PLUS AMBITIEUX!

HO, ÇA VA! TOUT L'MONDE N'A PAS DES PARENTS QUI VOUS ENTRETIENNENT!

RAOUL

TU PRÉFÈRERAIS PEUT-ÊTRE QUE JE BOSSE COMME CAISSIÈRE CHEZ "MOLOPRIX"?!

ET ALORS? ÇA TE FERAIT PAS DE MAL EN TOUT CAS, ESPÈCE DE PETITE BOURGEOISE!!

ALLONS, ALLONS, CALMEZ-VOUS ÇA NE SERT À RIEN DE S'ÉNERVER COMME ÇA!! C'EST VRAI, FAUT TOUJOURS SAVOIR RESTER CALME!..

CROYEZ-MOI, TOUT S'ARRANGE AVEC UN SOURIRE DANS LA VIE!

915

YAP! YAP!

COUCHÉ, SULTAN!

HÉ?!! ATTEN...

CLANG

NON MAIS HO!! ÇA VA PAS GRAND PÈRE?! T'AS PAS LES YEUX EN FACE DES TROUS, MA PAROLE?!

COUINE

TAXI!

QU'ESTCE T'AS T'ES PAS CONTENT?!

TU VEUX QUE JE DESCENDE TE POCHER LES TIENS?! C'EST PAS UN P'TIT BRANLEUR QUI VA M'EMMERDER!!

49

LE LENDEMAIN MATIN...

ÇA ALORS, QU'EST-CE QUE TU FAIS LÀ LUCIEN?.. TU AS DORMI SUR CETTE BANQUETTE?

MMHH?

HEU... BEN C'EST À DIRE QUE J'AVAIS UN PEU TROP CHAUD LÀ-HAUT...

EH BIEN, POURQUOI TU N'AS PAS OUVERT LES LUCARNES?

TIENS.? T'AS DORMI LÀ, TOI?

HEU... BEN SUZIE AVAIT FROID, ELLE!

NON BOUFCHI-DOR, LE CAFÉ EST PRIORITAIRE LE MATIN!

DIS GILLOU, TU AS VU SUZIE? ELLE A L'AIR D'ALLER BIEN?.. ELLE A PAS L'AIR FÂCHÉE?

JE SAIS PAS, ELLE MOBILISE LA SALLE DE BAIN COMME TOUS LES MATINS!..

REGARDEZ CE QUE J'AI TROUVÉ DANS LA BOÎTE... UNE LETTRE DES U.S.A POUR SUZIE!

DES U.S.A?!

HEIN?! FAIS VOIR ÇA!! J'ATTENDS CETTE LETTRE DEPUIS DES MOIS!!

OUIII! MA DEMANDE DE BOURSE ET D'INSCRIPTION À L'UNIVERSITÉ DE L.A EST ACCEPTÉE!!

LOS ANGELES?

LOS ANGELES!!

MAIS C'EST GÉNIAL!! C'EST LÀ QU'HABITENT LES PLUS GRANDES STARS AMÉRICAINES!

ET PUIS IL Y FAIT TOUJOURS BEAU! C'EST LE PAYS DU ROLLER-SKATE, DU SKATE BOARD...

DU FRISBEE!

HAA! HOLLYWOOD, SUNSET BOULEVARD, VENICE... SES PIN-UP BRONZÉES!

ET LES CAISSES LÀ-BAS J'TE DIS PAS! CORVETTE, THUNDER-BIRD, CAMARO, MUSTANG...

ET LES BÉCANES AUSSI...

LES HARLEY!

ET AUSSI LES DRAGSTERS, LES CUSTOM, LE RÊVE, QUOI!

MAIS VOUS ÊTES FOUS, C'EST UNE VILLE DE DÉTRAQUÉS DE MILLIARDAIRES PARANOÏAQUES, DE FLICS BRUTAUX...

ET PUIS LA BOUFFE EST INFECTE LÀ-BAS...

ET C'EST TRÈS CHER...

ET SURTOUT, C'EST TRÈS LOIN!

54

LA SEMAINE SUIVANTE...

TIENS, TU TE REFAIS LA BANANE LUCIEN ?

JE ME DEMANDE SI C'EST PAS ENCORE UN PEU TÔT... QU'EST-CE QUE TU EN PENSES ?

OUAIS, C'EST PAS TERRIBLE !

PEU APRÈS...

HA, TE VOILÀ LULU, ATTENDS JE RACCOMPAGNE MONSIEUR ET J'ARRIVE !

MAIS JE T'EN PRIE ROBERT !

BOP!

TU VAS VOIR, C'EST TOUT SIMPLE, IL SUFFIT DE METTRE DES DISQUES ET D'INCITER LES GENS À DANSER !

LE PRINCIPAL C'EST QU'IL Y AÏ UNE SUPER AMBIANCE !

JE VAIS ESSAYER !

AVEC SUZIE QUI PART DEMAIN, J'AI VRAIMENT PAS LA TÊTE A ÇA !.

ALORS LULU, T'AS PIGÉ ?.. PENDANT QUE TU PASSES UN DISQUE TU CALES L'AUTRE SUR LA DEUXIÈME PLATINE...TU AS LE MICRO POUR CAUSER ...

ALLEZ, JE TE LAISSE, JE REPASSERAI TOUT À L'HEURE !

O.K !

?

TU NOUS MES UN BON VIEUX ROCK, MEC !

NON, PLUTÔT UN TRUC GENRE SANTANA !

DU HARD !

DU FUNK !

T'AURAIS PAS DE LA BREAK DANCE ?

DENNIS'TWIST

DU REGGAE !

DU DISCO ! DU DISCO ! DU DISCO !

BALANCE-NOUS UN TRUC BIEN DESTROY QU'ON PUISSE POGOTER !

PEUT-ON INVITER LE DISC-JOCKEY À DANSER UN PETIT SLOW EN SOUVENIR D'UN BELLE HISTOIRE D'AMOUR !

HO ! SUZIE TU ES VENUE !!

ALORS, IL PARAÎT QUE VOUS AVEZ TROUVÉ UN NOUVEAU DISC-JOCKEY... IL EST BIEN ?

HA, VOUS POUVEZ ME FAIRE CONFIANCE !

C'EST UN VRAI BOUTE-EN-TRAIN ! VOUS ALLEZ VOIR, JE VOUS RACONTE PAS L'AMBIANCE !

HO ?!!

VILLE DE LUMIÈÈÈRE

S'IL REMET CE DISQUE UNE SIXIÈME FOIS, JE CASSE TOUT !

ZZZZ

51

F. MARGERIN - 4-87